GRANDES FIGURES DE L'HUMANITÉ

ALBERT
SCHWEITZER

Gabriella Cremaschi

ODÈGE

Une décision insolite

Ce soir-là, Albert Schweitzer était très fatigué. Il rentrait chez lui et, tout en marchant lentement, il se remémorait la longue journée qu'il venait de vivre.

Comme d'habitude, il s'était levé très tôt, un peu avant six heures et, après deux heures d'exercices à l'orgue, il s'était rendu à l'église Saint-Nicolas où il prêchait tous les matins, à huit heures. Puis, durant le reste de la journée, il avait accompli ses obligations de directeur du Séminaire théologique.

C'était un homme fort occupé. Il venait tout juste de publier un livre de théologie, *l'Histoire des recherches sur la vie de Jésus* et, à présent, il en préparait un autre sur Bach. Deux jours auparavant, il avait été appelé pour restaurer un orgue ancien, dans une ville voisine, mais il n'avait pas encore eu le temps de s'en occuper.

En dépit de toutes ces activités, Schweitzer n'avait pas trouvé sa voie. Depuis longtemps, il souhaitait trouver le moyen de consacrer sa vie aux autres, de façon plus concrète, en soulageant les maux de ses semblables.

Il allait avoir trente ans et il n'avait pas encore décidé quel serait sa nouvelle activité...

La démarche lourde, il entra dans son petit appartement et ouvrit machinalement le courrier qui se trouvait sur son bureau.

Comme il triait les lettres, une brochure verte attira son attention. C'était une plaquette rendant compte de l'activité de la Société des Missions évangéliques de Paris. Son regard tomba sur un article consacré au Gabon, l'une des régions les plus malsaines de toute l'Afrique, totalement privée d'aide sanitaire. Il n'y avait pas de médecins sur des centaines de kilomètres carrés et de nombreux indigènes mouraient de maladies depuis longtemps vaincues en Europe. De nombreuses vies auraient pu être sauvées si un seul homme avait mis à leur service sa bonne volonté et son courage. Cette brochure semblait s'adresser à lui :

« Partiriez-vous ? Quitteriez-vous tout pour être médecin en Afrique ? »

Oui, il partirait, il abandonnerait son travail, étudierait la médecine et, en attendant, il réunirait l'argent nécessaire à l'expédition.

Le lendemain, Albert informa Hélène, sa fiancée, de son projet. Celle-ci l'écouta avec attention et, après avoir réfléchi un instant, elle lui répondit :

— Je t'attendrai et je viendrai avec toi.

— Sais-tu ce que cela signifie ? l'interrompit Albert. Il te faudra tout quitter : la musique, tes études, ta famille, tes amis, affronter des dangers et la misère. Tu es trop jeune, je ne peux accepter cela de toi ! De plus, que feras-tu ?

— Je suivrai des cours d'infirmière et, ainsi, tu ne pourras pas te passer de moi ! rétorqua Hélène avec un sourire triomphant.

Albert Schweitzer s'enferma plusieurs jours dans sa chambre. Quand il en sortit, il alla poster plusieurs lettres par lesquelles il informait ses parents et quelques amis intimes de la décision qu'il avait prise. Dans une de ces lettres, il donnait sa

démission de directeur du Séminaire de théologie Saint-Thomas. Il avait besoin de tout son temps et de toute son énergie pour aborder les études de médecine.

Sa décision suscita les réactions de tout le milieu universitaire et musical d'Allemagne et de France. Tous portaient le même jugement et s'efforçaient de le convaincre d'abandonner son projet. Quelqu'un comme lui, musicien de talent, philosophe éminent, excellent prédicateur et, de plus, théologien de premier plan, ne pouvait renoncer volontairement au rôle pour lequel la nature l'avait fait et s'adonner à une tâche qui exigeait encore de nombreuses années d'études, et que beaucoup pouvaient accomplir aussi bien et même mieux que lui. Il fallait qu'il renonce. Pourquoi ne se contentait-il pas de prêcher et, grâce à des concerts et aux droits d'auteur que lui rapporteraient ses livres, de réunir de l'argent pour subventionner les missions africaines ?

Schweitzer essaya de justifier sa décision et d'expliquer pourquoi il avait résolu d'abandonner ses études et de se consacrer à une œuvre concrète dont il pourrait voir les résultats. Quand Schweitzer se rendit compte que tout était inutile, il renonça à les convaincre. Qu'ils le considèrent donc comme un fou : sa décision était prise !

Avant de commencer ses études de médecine, il lui fallait effectuer une ultime et pénible démarche : informer ses parents et obtenir leur accord. Il se rendit à

6

Gunsbach où ceux-ci habitaient. Il aborda aussitôt le sujet mais il eut du mal à les convaincre que l'entreprise n'était pas trop dangereuse. Les parents d'Albert connaissaient bien la situation du Gabon, la misère dans laquelle vivaient les habitants de ce pays oublié de tous. Eux aussi éprouvaient cet amour profond à l'égard des desherités qui était à l'origine de la décision prise par leur fils mais ils étaient conscients des difficultés de la voie qu'Albert s'apprêtait à suivre.

Albert demeura quelques jours à Gunsbach. Pour la dernière fois peut-être, pensait-il, il parcourut les chemins et les champs qui avaient été le théâtre de ses jeux d'enfant.

Au cours de ses flâneries, il se rappela certains épisodes de cette époque heureuse quand, sans le savoir, il jetait les bases d'une vie d'amour tout entière consacrée à son prochain.

Le père d'Albert était le pasteur protestant de Gunsbach. Le village était pauvre et Albert était le seul enfant convenablement habillé qui fréquentât l'école du village. Les autres garçons le sentaient différent et ils repoussaient ses tentatives d'amitié. De plus, sa timidité le rendait gauche et renfermé.

Une matinée d'hiver, à la fin des cours, les enfants de Gunsbach eurent une belle surprise : il neigeait ! Aussitôt, une bataille de boules de neige s'engagea.

Albert se tenait à l'écart et enviait la joie de ses camarades : personne ne l'avait

7

invité à se joindre à eux. S'il voulait jouer, il fallait qu'il agisse.

Il pétrit une boule de neige et la lança... elle atteignit Georges dans le dos. La bande s'arrêta immédiatement de jouer : qui avait osé frapper son chef ?

Georges, un garçon robuste, plus grand que les autres, était reconnu par tous comme le chef de la bande. Il s'approcha lentement d'Albert, cracha dans ses mains et cria :

— Approche, petit monsieur !

Albert ne s'était jamais battu et il se rendait compte qu'il était physiquement beaucoup moins fort que Georges. Néanmoins, il rassembla son courage et se jeta sur son adversaire.

L'issue fut longtemps incertaine mais, finalement, en un dernier effort, Albert terrassa Georges. Un murmure de stupeur parcourut l'assistance : le « petit monsieur » avait gagné !

Albert se releva, souriant, et tendit la main à son « ennemi ». Georges la refusa

avec colère et lui cria :

— S'il y avait autant à manger chez moi que chez toi, tu ne t'en serais pas sorti comme ça !

Ces mots blessèrent Albert plus que ne l'eût fait un coup de poing. Il venait de découvrir la misère !

Le dimanche qui suivit le jour de la fameuse bataille, Albert devait mettre un nouveau pardessus qu'on lui avait offert pour son dixième anniversaire. La couturière s'était dépêchée de le terminer le samedi soir et toute la famille était impatiente de voir la bonne mine d'Albert, à l'église.

Mais Albert refusa de l'enfiler.

— Pourquoi ? lui demanda son père.

— Je ne veux pas le mettre, c'est tout.

— Est-ce parce qu'il a été taillé dans mon vieux pardessus ? Tu sais que nous ne sommes pas très riches et que je ne pouvais pas t'acheter un manteau neuf !

— Non, papa. Ce n'est pas pour cela.

— Alors ?

— Les autres garçons du pays n'ont pas de pardessus.

— Cette raison te fait honneur. Mais, moi, je ne peux pas accepter que la communauté croie que je n'ai pas assez d'argent pour t'habiller décemment. Mets ton manteau, Albert !

— Non, papa !

— Tu refuses d'obéir à ton père ?

— Oui, papa !

— Tu sais ce que je suis obligé de faire, Albert ?

— Je regrette, papa, mais je suis sûr d'avoir raison.

Ce matin-là, Albert reçut l'une des premières punitions sévères de sa vie et, tous les dimanches de cet hiver, la même scène se renouvela : Albert devait choisir entre mettre son pardessus et les claques de son père, et tous les dimanches Albert choisit ces dernières.

Ses parents avaient compris que les mobiles d'Albert étaient profonds et qu'ils s'appuyaient sur un amour pour son prochain qui, s'il était cultivé, pourrait donner des fruits.

Aussi, au bout de quelque temps, plus personne ne demanda à Albert s'il voulait ou non mettre son manteau et les parents Schweitzer supportèrent de bon gré les commérages selon lesquels le pasteur ne tenait pas son rang en montrant au village un fils aussi mal habillé.

Après la fameuse bagarre avec Georges, la méfiance de ses camarades envers lui se calma peu à peu et il fut enfin accepté parmi eux. Après tout, celui qui s'était battu si courageusement avec leur chef méritait de faire partie de la bande, même si c'était un « petit monsieur ». Alors, avait commencé pour Albert une période heureuse faite de jeux et de vagabondages dans les champs. Les premiers jours d'été, c'était tellement amusant de courir dans les bois et de chasser les animaux.

Un matin, la bande partit au grand complet. L'objectif était de tuer des oiseaux avec une

fronde. Les garçons étaient nerveux car l'entreprise était difficile. Il fallait avancer sans faire de bruit afin de ne pas effaroucher les oiseaux qui s'envoleraient au premier craquement.

Aucun d'eux n'avait réussi à faire mouche mais, finalement, ils avaient découvert un moineau qui pépiait sur une branche. Celui-ci paraissait ne s'être aperçu de rien et c'était justement à Albert de tirer.

Celui-ci saisit la fronde et se mit en position : le moineau était là, inconscient du danger… Mais Albert se rendit compte qu'il allait accomplir un geste injuste : frapper un être sans défense, innocent, pour le seul plaisir de tuer ! Jamais il ne pourrait faire une telle chose, mais comment s'arrêter à présent ? Ses camarades attendaient en silence qu'Albert tire. Mais celui-ci battit des mains et l'oiseau s'envola.

— J'ai été piqué par un moustique, balbutia Albert tandis que ses camarades le regardaient, l'air interrogateur. Je n'ai rien pu faire, s'excusa-t-il.

Il ne voulait pas avouer à ses camarades qu'il avait battu des mains pour permettre à l'oiseau de s'échapper. Ils n'auraient pas compris et l'auraient de nouveau exclu de leur bande. Ainsi, il avait sauvé une vie innocente et compris que la vie des animaux devait être respectée et défendue tout autant que celle des hommes.

Une période de dure préparation

Du train qui le ramenait à Strasbourg, Albert Schweitzer regardait Gunsbach et il songeait à son enfance, joyeuse et calme. Certes, il avait été le garçon le plus heureux du village et, en comparaison de la vie des enfants du Gabon, son enfance avait été celle d'un prince ! Ces pensées ne firent que le confirmer dans son choix. Jusqu'alors la vie lui avait beaucoup donné. A présent, il devait se mettre au service de ceux qui avaient eu moins de chance.

Il calculait mentalement le nombre d'années qu'il lui fallait pour être sur le terrain. Les études de médecine duraient six ans puis il y aurait un an d'internat dans un hôpital. Enfin, s'il voulait vraiment être utile en Afrique noire, il lui faudrait se spécialiser dans les maladies tropicales. Il aurait 38 ans quand il pourrait partir !

De retour à Strasbourg, Albert Schweitzer suivit les cours de la faculté. De nombreux étudiants s'étonnèrent de voir, assis à côté d'eux, quelqu'un qui, récemment encore, était maître de conférences à l'Université. Mais, très vite, Albert Schweitzer sut conquérir leur amitié et leur confiance.

Pour lui, la vie était plus difficile que pour les autres étudiants. Les études médicales sont très ardues pour tous mais, en plus, Schweitzer devait subvenir à ses besoins. Sa famille ne pouvait pas payer ses études.

Ces années lui furent très pénibles, il suivait assidûment les cours de la faculté tout en conservant ses activités.

De temps à autre, on lui demandait de sauver quelque vieil orgue. Il s'était consacré, pendant tant d'années, à cette œuvre de restauration qu'il lui était difficile de refuser. Il prenait alors le temps nécessaire qu'il devait ensuite récupérer.

En outre, il n'avait pas encore terminé son livre sur Bach et il n'avait pu se résoudre à renoncer aux sermons à l'église Saint-Nicolas. Prêcher était très important pour lui. C'était répondre au profond besoin de spiritualité de son âme, besoin qui n'était certes pas satisfait par les arides études scientifiques que la médecine lui imposait. Il était souvent invité à donner des concerts dans diverses villes d'Europe. Il éprouvait toujours une grande joie à jouer du Bach et, de plus, cela lui était son seul moyen de subsistance.

Pendant six années, de 1905 à 1911, Albert Schweitzer se partagea entre la médecine, la musique et l'étude. Finalement, en décembre 1911, il fut reçu à son dernier examen. Après un an de pratique dans un hôpital de Strasbourg, il passa quelques mois à Paris où il étudia la médecine tropicale.

C'était, désormais, un médecin avec tous les diplômes nécessaires pour exercer sous les tropiques. Hélène, qui l'avait attendu et aidé tout au long de ces années, le réconfortant dans les moments de découragement, avait obtenu son diplôme d'infirmière.

Le 18 juin 1911, Hélène Bresslau et Albert Schweitzer se marièrent.

Pendant quelques mois encore, le docteur et son épouse furent occupés par l'organisation pratique de l'expédition. Ils furent aidés par les membres de la Société des Missions de

Paris qui avaient mis à leur disposition le centre de Lambaréné, au Gabon.

En s'appuyant sur la mission déjà existante, ils installeraient un hôpital qui desservirait toute la région alentour. Les missionnaires français, informés par la Société des Missions, acceptèrent d'apporter leur appui et promirent de construire un baraquement en tôle ondulée qui servirait de noyau au futur hôpital et permettrait aux Schweitzer d'accueillir les premiers patients. En outre, plus tard, on pourrait construire d'autres bâtiments et d'autres médecins volontaires viendraient les rejoindre.

Mais, pour l'instant, tout cela n'était qu'un beau rêve. Il fallait garder les pieds sur terre et se procurer tout le nécessaire pour s'assurer une autonomie d'au moins deux années. C'était le minimum pour savoir si une telle entreprise avait des chances du succès ou non.

Le matériel à rassembler, à emballer et à expédier était abondant. Pendant des jours et des jours, Albert et Hélène dressèrent des listes d'objets et de médicaments, allant d'un lieu à un autre pour se procurer le nécessaire. Finalement, les soixante-dix caisses furent clouées et expédiées à Bordeaux, où les Schweitzer embarqueraient. De nombreux amis les avaient aidés et ce fut grâce à leur générosité que le futur hôpital de Lambaréné put jouir d'une certaine autonomie et posséder les instruments chirurgicaux indispensables.

Toutefois, maintenant que le moment des adieux était arrivé, l'avenir était sombre. On s'acheminait rapidement vers un conflit. Tout laissait supposer que le précaire équilibre entre les pays européens allait être rompu. Qu'adviendrait-il des Schweitzer si la guerre éclatait ? Ils étaient citoyens allemands et, dans le cas d'un conflit, ils se trouveraient alors en territoire ennemi, car le Gabon était une colonie française.

Cette incertitude sur leur sort personnel les inquiétait, certes, mais ce qui les remplissait d'amertume c'était la contradiction qui existait entre leur voyage et la situation où se trouvait l'Europe entière.

Tandis qu'Albert et Hélène Schweitzer partaient en lançant un message de paix et de fraternité au monde, leur patrie marchait d'un pas décidé vers le désespoir et la mort.

« C'était l'après-midi du Vendredi saint de 1913. A Gunsbach, le village des Vosges où j'ai passé mon enfance, les cloches avaient annoncé la fin du service divin, écrivit plus tard Schweitzer. Soudain, le train apparut au détour de la forêt. Notre voyage en Afrique commençait. Il fallut prendre congé. De la plate-forme de la dernière voiture, nous aperçûmes une fois encore la pointe du clocher. Quand la reverrions-nous ? Le jour suivant, lorsque la cathédrale de Strasbourg disparut dans le lointain, nous nous crûmes déjà transportés en pays étranger ».

A Paris, le couple Schweitzer rencontra, pour la dernière fois, les membres de la société Bach dont Albert avait été un des membres fondateurs en 1905. Ils écoutèrent ensemble un concert de Widor, le maître et l'ami très cher du docteur.

Lors de la réception d'adieu, les amis de la Société Bach remirent aux jeunes époux leur cadeau : une énorme caisse de bois doublée de zinc qui contenait un

piano droit avec pédales d'orgue, spécialement construit pour les tropiques.

— Ainsi, tu pourras entretenir ta technique et, si tu reviens un jour, tu pourras à nouveau jouer dans nos églises et pour nous.

Le même après-midi, Hélène et Albert Schweitzer partirent pour Bordeaux. Deux jours plus tard, ils montèrent à bord de l'*Europe*, un petit bateau à vapeur.

Après de longs jours d'une traversée au cours de laquelle les Schweitzer essuyèrent une violente tempête et souffrirent de l'écrasante chaleur équatoriale, l'*Europe* accosta dans un petit port du fleuve Ogooué.

Enfin en Afrique

Leur voyage se poursuivit sur le bateau fluvial à fond plat, l'*Alambé*, qui remonta l'Ogooué, la principale voie d'eau de la région. Albert et Hélène observaient avec curiosité le paysage qui les entourait. C'était la première fois qu'ils voyaient le Gabon. Albert notait rapidement les premières impressions que suscitait en lui la découverte de ce qui allait être sa nouvelle patrie. « Eau et forêt vierge !... Comment rendre ces impressions ? Nous croyons rêver... On ne parvient pas à distinguer où l'eau cesse et où commence la terre... Dans chaque éclaircie, des nappes d'eau miroitent... Tantôt la forêt vierge ne forme plus qu'une sombre lisière sur la rive lointaine, tantôt le bateau frôle cette obscure paroi qui exhale une chaleur insupportable. »

L'*Alambé* aborda en sifflant dans un petit port de l'intérieur.

« De la station missionnaire de Lambaréné au débarcadère, il y a plus d'une heure en pirogue. Quand le bateau accosta, personne ne pouvait donc être là pour nous recevoir, raconta plus tard Schweitzer. Mais, pendant le débarquement — il était près de quatre heures et le soleil était brûlant — je vois tout à coup une piro-

gue longue et étroite, montée par de jeunes garçons chantant joyeusement, arriver comme un trait et tourner autour du vapeur avec une telle rapidité, que le Blanc qui s'y trouve n'a que le temps de se jeter en arrière pour ne pas heurter de la tête l'amarre du bateau. C'est le missionnaire Christol, avec la classe des petits de l'école missionnaire. Derrière eux, arrive une pirogue portant le missionnaire Ellenberger : elle est montée par la classe des grands... Les enfants avaient fait la course et les plus jeunes sont vainqueurs... Aussi ont-ils le droit de conduire le docteur et madame ; les autres transporteront leurs bagages. Quels superbes visages d'enfants !...

Le début de la traversée en pirogue nous met un peu mal à l'aise. Ces embarcations très plates et très étroites sont taillées dans un seul tronc d'arbre et perdent l'équilibre au moindre mouvement. Les pagayeurs ne sont pas assis mais debout, ce qui n'est pas fait pour augmenter la stabilité. De leurs longues pagaies, ils frappent l'eau en chantant pour rester en mesure. Un seul geste maladroit d'un pagayeur peut faire chavirer la pirogue. Au bout d'une demi-heure, nous avons surmonté notre malaise et jouissons de cette magnifique traversée. Les enfants luttent de vitesse avec le vapeur qui a repris son voyage vers l'intérieur et, dans leur zèle, risquent de renverser une pirogue occupée par trois vieilles femmes indigènes. »

Après environ une heure de navigation sur un bras secondaire du fleuve, les Schweitzer aperçurent quelques maisons blanches, au sommet de trois collines. C'étaient les bâtiments de la Société des Missions de Paris, à côté desquels Schweitzer construirait son hôpital. Quand les pirogues abordèrent le petit quai, Albert et Hélène furent accueillis par une foule en liesse qui attendait leur arrivée sur le bord de la rivière. Avant même de descendre de la pirogue, ils furent parés de guirlandes de fleurs et de branches de palmier et contraints de serrer des dizaines et des dizaines de mains. Puis, tout le monde les accompagna, en procession, à la maison où ils allaient loger. C'était une toute petite maison construite sur des pilotis en fer.

Il était très tard quand les Schweitzer se mirent, une fois encore, à la fenêtre pour jeter une dernier coup d'œil à leur nouvelle patrie : de la forêt, muraille qui paraissait infranchissable, s'élevait un immense concert de bruits et de musique : aux rumeurs de la nature se mêlait le rythme des tam-tams qui annonçaient à toute la communauté l'arrivée de l'*oganga*, le sorcier blanc.

Le lendemain matin, aux premiers rayons du soleil, les Schweitzer descendirent en courant de leur maisonnette, impatients de voir la construction dans laquelle, comme les missionnaires l'avaient promis, ils installeraient leur hôpital.

Schweitzer fut stupéfait :

— Mais, il n'y a rien !

— Malheureusement, répondit le père Christol, nous n'avons pu convaincre les indigènes de travailler pour nous, à cette période de l'année. C'est l'unique saison où ils peuvent gagner quelque argent en coupant du bois précieux.

— Nous rattraperons vite le temps perdu, ajouta-t-il dans l'espoir de les réconforter.

Ils furent presque aussitôt interrompus par un bruit de voix : un grand nombre de pirogues surchargées approchaient sur le fleuve tandis que les indigènes montaient déjà la colline. Beaucoup boitaient, d'autres étaient transportés à bras d'hommes. Quand Schweitzer comprit que tous ces gens venaient pour lui, il s'écria :

— Ce n'est pas possible ! J'avais fait savoir que, les trois premières semaines, je ne soignerais que les cas urgents. Les médicaments ne sont pas encore arrivés et je ne peux pas ausculter les malades ici, en plein soleil.

Le docteur changea vite d'opinion. Tous les cas étaient urgents et avaient besoin, pour le moins, de soins sommaires si l'on voulait en sauver quelques-uns : des gens atteints de la lèpre, du paludisme, de la maladie du sommeil, de la fièvre jaune, avec des ulcères tropicaux, des pneumonies, des hernies inguinales... Leur langage était incompréhensible mais l'expression de leur visage était éloquente : le sorcier blanc devait les aider.

Albert et Hélène travaillèrent côte à côte toute la journée. Ils séparèrent immédiatement les contagieux des autres. Puis, ils commencèrent à désinfecter, à pan-

ser, à administrer les rares médicaments dont ils disposaient. Quand la nuit tomba, ils durent s'arrêter mais la file d'attente des malades était encore plus longue que le matin.

Bien qu'épuisés, les deux époux ne dormirent guère cette nuit-là.

— Du moins, nous avons un lit, disait Schweitzer à sa femme, mais ces pauvres malheureux s'accroupissent par terre et attendent le matin, exposés aux piqûres des moustiques. En plus des maladies qu'ils ont déjà, ils peuvent attraper la malaria. Non, nous ne pouvons continuer ainsi. Le bateau avec nos caisses n'arrivera pas avant dix jours. D'ici là, il nous faut faire quelque chose.

— La seule construction disponible, dit Hélène, est ce poulailler en ruine au fond de la clairière. Nous pourrions l'utiliser.

— Mais, tu es folle ! As-tu vu son état ? Il est dégoûtant. Son toit est crevé et il n'y a pas de plancher.

— Oui, je sais. Mais, nous n'avons ni le temps ni le matériel pour construire. Nous le nettoierons à la chaux et nous boucherons les trous avec quelques planches...

Le projet était désespéré mais c'était la seule possibilité d'avoir un endroit où travailler à l'ombre. Le plus urgent était de s'abriter du soleil car celui-ci pouvait rapidement conduire les malades à la folie. Aussi, le lendemain de bonne heure, le médecin et l'infirmière se transformèrent-ils en maçons. Ils recouvrirent la saleté d'une couche de lait de chaux et ils bouchèrent les trous du toit et des murs à l'aide de planches. Un lit de camp, récupéré à la mission, fit fonction de table d'opération et quelques caisses servirent de rayonnages pour ranger les instruments chirurgicaux : l'hôpital était prêt.

Les dix jours qui suivirent, la vie menée par les Schweitzer fut un cauchemar. Tous les médicaments apportés d'Europe et ceux de la mission furent vite épuisés. Mais le nombre des malades, parmi lesquels certains étaient très gravement atteints, augmentait sans cesse. Plus tard, Schweitzer apprit que les sorciers lui envoyaient tous les cas désespérés pour le décourager et pour susciter la méfiance parmi les indigènes. De fait, beaucoup de malades de ces premiers jours moururent et, souvent, Albert et Hélène devaient les enterrer eux-mêmes car les indigènes avaient une telle peur de la mort que, refusant de toucher un corps sans vie, ils abandonnaient les cadavres de leurs parents. Finalement, au bout de dix jours et de dix nuits passés à attendre dans l'angoisse, un long sifflement annonça l'arrivée du bateau.

« C'était le sifflement de la résurrection », écrivit le docteur. Le vapeur apportait les soixante-dix caisses et le cauchemar était terminé.

Il fallut trois jours pour transporter tout le matériel du fleuve à la mission, puis construire des étagères pour recevoir tous les médicaments et les instruments de chirurgie. La vie allait être moins difficile à Lambaréné. Quelques jours plus tard, Schweitzer fit sa première opération importante. Il s'agissait d'une hernie étranglée avec un risque de péritonite. Quand le malade fut transporté à l'extérieur et que l'on vit qu'il allait bien, des hurlements de joie et de reconnaissance accueillirent le docteur. Les indigènes avaient découvert que son couteau, bien loin de donner la mort supprimait la douleur.

La construction de l'hôpital

Très vite, toutefois, la joie provoquée par l'arrivée des soixante-dix caisses fut atténuée par les énormes problèmes que posait l'absence d'un bâtiment pouvant servir d'hôpital. Il fallait résoudre ce problème de toute urgence.

« Le fait de ne pouvoir loger que peu de médicaments dans mon poulailler me gêne beaucoup dans mon travail, écrit Schweitzer. Je suis obligé, presque pour chaque malade de traverser la cour pour me rendre dans ma chambre y peser ou préparer le médicament dont j'ai besoin ; les courses sont très fatigantes et me prennent trop de temps.

Quand pourra-t-on entreprendre enfin sérieusement la construction de la baraque en tôle ondulée destinée à l'hôpital ? Sera-t-elle terminée avant la grande saison des pluies de l'automne ? Que ferai-je si elle ne l'est pas ? Il sera impossible de travailler dans le poulailler pendant la saison chaude.

Je suis également inquiet de n'avoir presque plus de médicaments. La clientèle est bien plus nombreuse que je ne l'avais prévu. J'ai fait de fortes commandes par

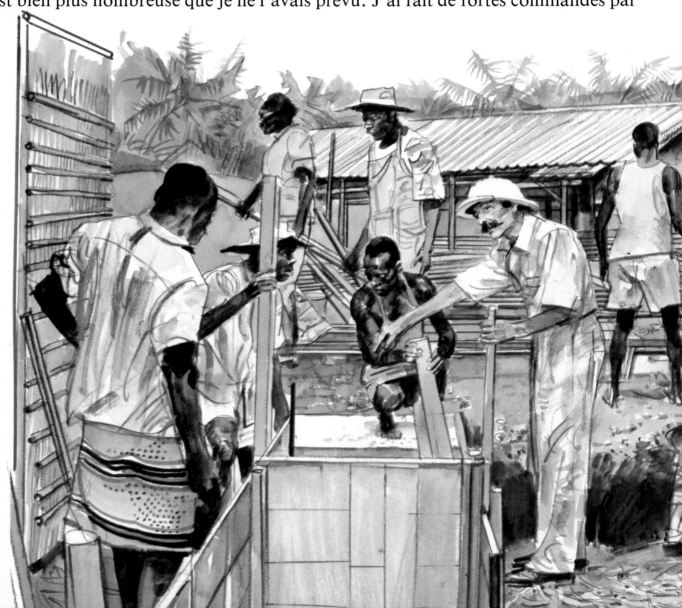

le courrier de juin, mais les colis ne pourront m'arriver que dans trois ou quatre mois. La quinine, l'antipyrine, le bromure de potassium, le salol et la dermatol sont épuisés, à quelques grammes près. »

Schweitzer se mit aussitôt à l'ouvrage pour doter son hôpital d'une structure plus efficace.

Avant tout, il fallait défricher une partie de la forêt pour aménager un endroit ombragé et aéré où installer les nouvelles constructions de l'hôpital. Pour ce travail, il fallait de l'argent et, surtout, une main-d'œuvre abondante. Il était difficile de convaincre les indigènes de travailler mais Schweitzer et ses amis réussirent, en payant de leur personne, à mener à terme ce premier travail, en un temps relativement court.

Mais, le jour où l'on avait décidé de commencer la construction du baraquement, le docteur Schweitzer fut appelé pour soigner une religieuse gravement malade dans une mission, à plusieurs journées de voyage.

Finalement, quand le docteur revint, il eut une grande joie. Le hangar de tôle avait été monté. Les missionnaires, aidés par quelques parents des malades hospitalisés, sous la direction de Joseph, un indigène guéri par le docteur Schweitzer et qui avait décidé de rester pour l'aider, en avaient préparé la « surprise ».

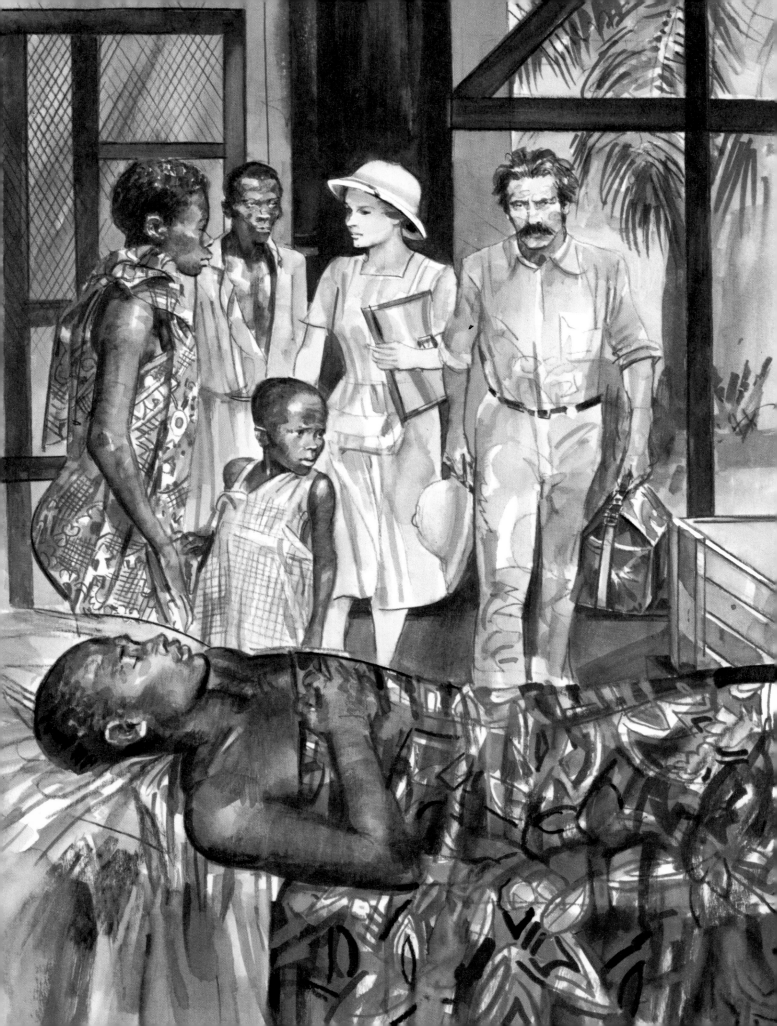

L'intérieur du bâtiment était partagé en deux grandes pièces et, sous le toit de paille, en saillie, avaient été aménagés deux autres locaux de petite taille. Le sol était cimenté et les murs étaient recouverts de rayonnages en bois qui pouvaient recevoir tout le matériel nécessaire.

Ce premier succès fut suivi de beaucoup d'autres. Très rapidement, plusieurs cabanes furent construites pour abriter les autres dépendances de ce qui, peu à peu, commençait à devenir un hôpital.

Désormais, Lambaréné était en effet doté d'un hôpital constitué de deux salles pour les malades, dont une pour les infectieux, d'un cabinet pour les auscultations, d'une salle d'opération et, même, d'une salle d'attente. Autour de l'hôpital, on avait construit des cases pour loger les parents des malades venus de loin.

Les lits furent confectionnés avec des troncs d'arbres et des lianes tressées.

A présent, on pouvait dire qu'il existait un vrai hôpital à Lambaréné. Chaque malade avait un lit, confortable, sous lequel il pouvait ranger ses provisions et ses ustensiles de cuisine. En effet, comme l'hôpital n'était pas en mesure de nourrir tous ses hôtes, il avait été convenu que chacun devait apporter suffisamment de nourriture pour la durée de son hospitalisation. De plus, quand ils venaient de loin, les indigènes étaient souvent accompagnés par des membres de leur famille. Ainsi, autour de l'hôpital circulait une foule nombreuse qui atteignait le triple des malades effectifs. La seule façon d'assurer à tous une nourriture suffisante était donc que chaque famille subvienne à ses besoins et à ceux de ses malades. Mais, très souvent, les choses n'étaient pas aussi simples. Les familles arrivaient à Lambaréné avec très peu de nourriture ou bien l'hospitalisation durait plus que prévu et les provisions s'épuisaient. C'est pourquoi les époux Schweitzer durent se transformer en cuisiniers. En effet, ni la mission, ni l'hôpital ne pouvaient se permettre de confier à une seule personne la charge de la cuisine. Au Gabon, il n'y avait pas de personnel en surnombre !

Au bout de quelque temps, avec l'aide des missionnaires, les Schweitzer commencèrent à défricher un morceau de terrain destiné à cultiver des légumes. Ce serait un appoint excellent pour les maigres finances de l'hôpital. Mais, comme il était difficile de résoudre, à la fois, tous les problèmes qui se posaient à Lambaréné !

Par chance, on n'avait pas le temps de s'abandonner au découragement. Chaque amélioration apportée à l'hôpital en augmentait la renommée. Désormais, dans un rayon de plusieurs dizaines de kilomètres, on ne parlait que de Lambaréné et de l'*oganga blanc* qui, avec son couteau magique, guérissait toutes les maladies. Ce qui accroissait le nombre des indigènes qui accouraient chez le docteur Schweitzer pour se faire soigner.

Toutefois, la confiance et l'estime des indigènes que Schweitzer réussissait à guérir suffisaient à récompenser le docteur et sa femme de toutes les contraintes et les fatigues qu'ils devaient supporter pour que vive leur hôpital. C'était une grande consolation et une aide énorme que d'avoir auprès d'eux Joseph qui connaissait un peu de français et leur servait d'interprète.

Les conséquences de la guerre

Au début de 1914, le courrier, qui arrivait chaque mois à Lambaréné avec le bateau, donnait des nouvelles préoccupantes sur la situation en Europe. Les grandes puissances occidentales se réarmaient rapidement et alignaient troupes et canons le long des frontières. La guerre était imminente.

« S'il y a la guerre, écrivit alors Schweitzer, les forêts du Gabon, comparées à l'Europe, deviendront un paradis. Ici l'homicide est une affaire d'homme à homme. Dans une guerre européenne, le massacre deviendra moderne, automatique. Il sera pratiqué sur une si vaste échelle qu'il donnera l'impression que toutes les autres guerres de la Terre, dans l'histoire humaine, furent miséricordieuses et démodées... »

Malheureusement, ces prévisions se révélèrent exactes. Schweitzer et sa femme s'interrogeaient sur leur propre sort si la guerre éclatait. Leur situation était délicate.

Comme nous l'avons déjà dit, ils étaient citoyens allemands et résidaient en pays ennemi puisque le Gabon était alors une colonie française. Ils risquaient d'être expulsés. Pour que les autorités hésitent à fermer l'hôpital, il fallait que celui-ci fût indispensable. On se remit donc à construire et, bientôt, deux nouveaux baraquements vinrent s'ajouter à ceux déjà existants. Comment les autorités pourraient-elles renvoyer chez eux un tel nombre de gens hospitalisés ?

Un jour, Schweitzer envoya Joseph porter des médicaments au capitaine du bateau qui devait les remettre à un malade sur la côte. Mais Joseph revint presque aussitôt avec les médicaments et un billet du capitaine qui disait : « La guerre a éclaté en Europe. J'ai ordre de mettre le bateau à la disposition des autorités. En conséquence, je ne sais quand nous pourrons nous revoir. »

Ce même après-midi, Schweitzer reçut la visite d'un commandant français accompagné d'un petit groupe d'indigènes armés. Le militaire exposa la situation au docteur : étant donné qu'il était citoyen d'un pays ennemi, les autorités avaient décidé de suspendre ses activités, pour l'instant. Le docteur Schweitzer et sa femme ne devaient plus avoir de contacts avec aucun citoyen français qu'il soit Noir ou Blanc. En attendant de nouveaux ordres, ils seraient placés sous la surveillance d'une garde armée.

Cette nouvelle atterra le docteur qui réfléchit au meilleur moyen pour en informer ses malades. Il décida de les réunir tous et de leur expliquer calmement la nouvelle situation et les raisons des mesures prises par les autorités.

Les malades se rassemblèrent rapidement sur l'esplanade devant l'hôpital et Schweitzer, la voix brisée par l'émotion, dit :

— Il vous faut retourner dans vos villages. Désormais, je ne peux plus rien faire pour vous.

Avant même qu'il eût fini de prononcer ces quelques mots, les malades se jetè-

rent tous ensemble contre les soldats, les couvrant d'insultes et de crachats. Ceux-ci s'apprêtèrent à faire usage de leurs armes et seule l'intervention de Schweitzer, d'Hélène et de Joseph évita le pire.

On ferma les baraquements de l'hôpital et les soldats y apposèrent les scellés. Cette nuit-là, le tam-tam retentit longuement à travers la forêt pour communiquer à tous les habitants de la région la nouvelle que la guerre avait éclaté, que l'hôpital était fermé et que l'*oganga blanc* était prisonnier.

Le lendemain, de nombreux indigènes, qui avaient été guéris par Schweitzer, accoururent, incrédules.

Une femme demanda au docteur :

— Tu nous as dit que les Blancs adorent le Christ et que celui-ci a prêché l'amour. Alors, pourquoi les Blancs se font-ils la guerre ?

Le docteur demeura silencieux, il ne savait que répondre. Un vieux chef de la tribu cannibale des Pahouins ne réussissait pas à comprendre pourquoi la guerre avait éclaté.

— Les Blancs vont se tirer les uns sur les autres ? demanda-t-il.

— Malheureusement, oui.

— Et il y aura beaucoup de morts ?

— J'ai peur que oui.

— Pourquoi, dit le vieil homme en secouant la tête, les Blancs ne se réunissent-ils pas et ne palabrent-ils pas pour mettre fin à la guerre ? Les Européens ne mangent pas leurs ennemis morts, m'as-tu dit. Mais, alors, ils se tuent par cruauté ! Je les croyais meilleurs, les Européens.

Là encore le docteur ne sut que répondre. Lui aussi croyait que le seul mobile de la guerre était la cruauté des hommes et qu'il aurait certainement mieux valu que les chefs d'État se réunissent autour d'une table pour essayer de résoudre les problèmes qui opposaient leurs pays plutôt que de provoquer tant de désastres et de destructions.

Cela paraissait étrange aux Schweitzer de rester là, maintenant que l'hôpital était fermé ! Ils ne pouvaient croire qu'ils avaient tout leur temps. Les journées qui, jusqu'alors, n'étaient jamais assez longues, s'écoulaient à présent avec une morne lenteur. Certes, ils pouvaient enfin rester un peu seuls ensemble, jouer du

piano, lire et étudier, mais ils n'éprouvaient aucune joie à faire ces choses qu'ils avaient tant désirées auparavant.

Cette année-là, Noël s'annonçait très triste mais les Schweitzer décidèrent de tout préparer pour le fêter comme les autres années. Hélène tressa des guirlandes de palmes dont elle décora les murs de la maison, s'efforçant de créer ainsi une atmosphère un peu plus chaleureuse.

Le soir de Noël, ils allumèrent les bougies, Albert s'assit au piano et tenta, par la musique, de ressusciter l'ambiance de douceur et de sérénité qui caractérise partout la célébration de cette fête.

Mais, il était difficile de chasser la tristesse qui pesait sur les habitants de Lambaréné. Les bâtiments clos de l'hôpital étaient là pour rappeler à tous que la guerre, à des milliers de kilomètres de distance, détruisait tant de vies innocentes et qu'elle avait fait lourdement sentir ses effets, même dans ce coin perdu de l'Afrique.

Tout à coup, Albert quitta le piano et éteignit les chandelles qui n'étaient consumées qu'à moitié.

— Pourquoi fais-tu cela, lui demanda sa femme.

— Elles pourront servir l'an prochain, répondit Schweitzer. Je ne pense pas que nous en recevrons d'autres avant Noël prochain.

— Ce ne sera pas seulement un problème de bougies, lui rappela Hélène. Les médicaments diminuent et il n'y a pas d'espoir que nous en recevions bientôt.

Les communications avec l'Europe étaient extrêmement difficiles, à cause de la guerre. Les expéditions de vivres et de médicaments, qui auraient dû arriver à cette époque, étaient encore bloquées à Bordeaux dans l'attente d'un navire ayant l'autorisation de lever l'ancre. La poste, elle-même, ne fonctionnait plus et les Schweitzer étaient sans nouvelles de leur famille. Les quelques informations qu'ils réussirent à obtenir n'étaient pas réconfortantes.

Au cours de cette longue et triste période, Schweitzer se remit à la rédaction d'un livre qu'il avait commencé en Europe, avant son départ. Pendant quelque temps, l'étude du mysticisme de saint Paul occupa son esprit et empêcha que la situation pénible dans laquelle il était contraint de vivre l'abatte totalement.

Peu après ce triste Noël, les indigènes eux-mêmes furent appelés sous les drapeaux français. Les habitants du Gabon, terre française, devaient défendre la mère patrie. Schweitzer se rendit au bord du fleuve pour saluer ceux qui s'en allaient. Ces pauvres garçons partaient pour une guerre dont ils ignoraient tout. Ils allaient défendre un pays qui n'était pas le leur et beaucoup mourraient pour défendre leurs oppresseurs.

Lambaréné, adieu !

Debout, sur la berge de l'Ogooué, tout en attendant le départ du bateau qui emportait les conscrits, Schweitzer se demandait :

« Qui sont les sauvages ? Ces hommes qui vivent dans la forêt et tuent par nécessité ou ceux qui ont organisé un massacre de dimensions apocalyptiques et parfaitement inutile au centre de l'Europe ? »

Profondément ému par ce qu'il avait vu, le docteur Schweitzer écrivit ce soir-là dans son journal : « La foule s'était dispersée mais, sur la berge du fleuve, une vieille femme qui avait vu partir son fils restait accroupie et pleurait en silence. Je la pris par la main et tentai de la consoler. Elle continua à pleurer comme si elle ne m'avait pas entendu. Alors, vaincu par l'amertume, je pleurai moi aussi à côté de cette mère, au bord de la rivière. »

Quelques jours après le départ des conscrits, un ordre précis arriva d'Europe : « Tous les citoyens allemands présents au Gabon doivent être considérés comme des prisonniers de guerre. C'est pourquoi ils doivent être embarqués et renvoyés en France. »

Ainsi, Schweitzer et sa femme durent-ils quitter Lambaréné, escortés par une garde armée, comme s'ils avaient été de dangereux individus prêts à perpétrer quelque attentat. Une grande foule se rassembla sur le quai de Lambaréné pour les saluer. Ce n'était pas facile pour les indigènes qui avaient été soignés par Schweitzer et, surtout pour ceux qui attendaient encore ses soins, de comprendre pourquoi l'*oganga blanc* devait partir à cause d'une guerre aussi lointaine et pourquoi il devait être ainsi escorté par des gardes armés comme s'il était un criminel.

Juste avant de monter à bord, Schweitzer aperçut, dans l'herbe haute, un couple de cobras merveilleusement colorés, à côté d'une couvée tout juste éclose. Tout près, inconscients du danger qu'ils couraient, des enfants jouaient. Schweitzer demanda un fusil et, en deux coups, tua les reptiles. Cet épisode resta longtemps imprimé dans sa mémoire : il laissait les Noirs de Lambaréné comme ces enfants, sans défense et entourés par d'énormes dangers. Aussi se promit-il de revenir à n'importe quel prix.

Le long voyage vers l'Europe fut pénible pour les époux Schweitzer. Après quatre années de séjour dans une Afrique au climat hostile, ils étaient tous deux atteints de paludisme et ils commençaient à ressentir les efforts fournis.

L'unique consolation de ce terrible voyage aurait été de pouvoir jouer : la musique lui aurait fait oublier ses ennuis et ses souffrances et trouver des forces pour affronter un avenir inconnu et menaçant.

Naturellement, il n'y avait pas de piano à bord mais Schweitzer imagina un système qui lui permettait néanmoins de se réfugier dans le monde de la musique : il laissait courir ses mains sur le couvercle d'une malle, imaginant que c'était le clavier d'un orgue, et il bougeait les pieds comme s'il suivait le mouvement du pédalier. Au cours du voyage, Schweitzer apprit ainsi plusieurs œuvres de Bach qu'il ne connaissait pas encore.

Après leur arrivée à Bordeaux, les Schweitzer furent envoyés dans un camp d'internement à Garaison, dans les Pyrénées. Le camp était situé dans un vieux monastère et les prisonniers étaient logés dans les cellules qui étaient en piteux état, sans mobilier, les fenêtres et les portes éventrées.

Schweitzer, bien qu'il fût le seul médecin parmi les internés, s'était vu défendre sévèrement de s'occuper des malades mais le médecin officiellement désigné par les autorités était très vieux et, très vite, il ne put faire face à sa tâche. De plus, les médiocres conditions d'hygiène du camp augmentaient les cas de maladies et les dangers d'infection. C'est pourquoi le directeur du camp demanda à Schweitzer d'aider le vieux médecin et mit même à sa disposition une cellule comme cabinet. De nouveau, il pouvait exercer la médecine.

Plus tard, Schweitzer écrivit que l'expérience du camp d'internement, bien que dure et pénible pour sa santé, fut très positive du point de vue humain.

« Pour s'instruire au camp, il n'était pas besoin de consulter des ouvrages. Pour tout ce que l'on désirait apprendre, il se trouvait quelque spécialiste. J'ai largement profité de cette occasion unique. Sur les questions de finances, d'architecture, de construction et de fonctionnement des moulins, sur la culture des céréales, la fabrication des poêles, tant d'autres choses encore, j'ai recueilli des informations dont je n'eusse probablement jamais disposé ailleurs. »

A Garaison, les Schweitzer découvrirent à quel point ils étaient connus en Europe. Quand la nouvelle de leur arrivée au camp se répandit, de nombreux prisonniers vinrent saluer le grand organiste qui avait renoncé à la gloire et aux succès pour aller vivre en Afrique.

Au printemps de la même année, les Schweitzer furent transférés au camp de Saint-Rémy de Provence, exclusivement réservé aux Alsaciens. C'était un peu comme s'ils étaient déjà chez eux et, de fait, les Schweitzer y rencontrèrent beaucoup de personnes de connaissance.

Un jour, une grande nouvelle arriva : à la suite d'un échange de prisonniers entre l'Allemagne et la France, les détenus de Saint-Rémy de Provence avaient été libérés.

Le 11 novembre 1918, l'armistice fut enfin signé et l'Alsace redevint française. Deux mois plus tard, Hélène donna naissance à une fillette, Rhena.

Les Schweitzer mirent longtemps à recouvrer complètement une santé fort ébranlée par les années passées en Afrique et, en dernier lieu, dans les camps d'internement. C'est avec joie et stupeur qu'ils découvrirent qu'ils avaient beaucoup d'amis en Europe qui s'efforcèrent de les aider. Très vite, Albert trouva du travail et, décidé à retourner à Lambaréné dès que cela serait possible, il commença à parcourir l'Europe en donnant des conférences. Il parlait de son hôpital dans la forêt vierge, du besoin crucial de médecins au Gabon et, partout, il recevait aide, encouragement et soutien.

Une seule chose lui manquait pour recouvrer totalement la santé et la sérénité : jouer du Bach en concert. Il y avait très longtemps qu'il n'avait pas joué sur un

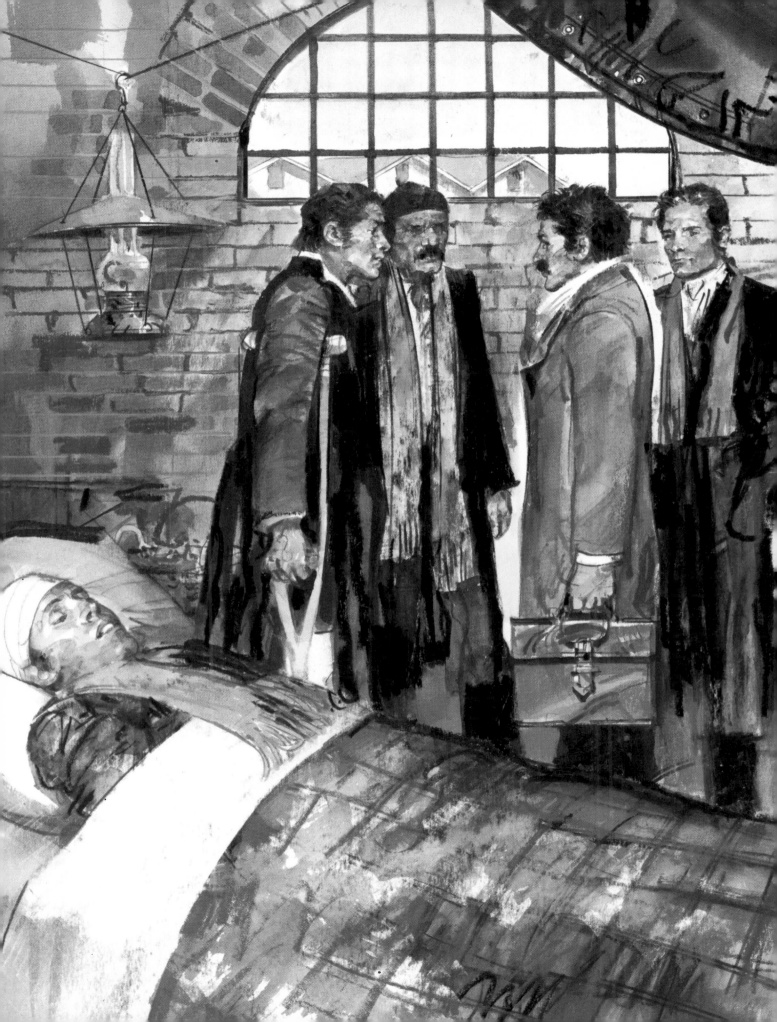

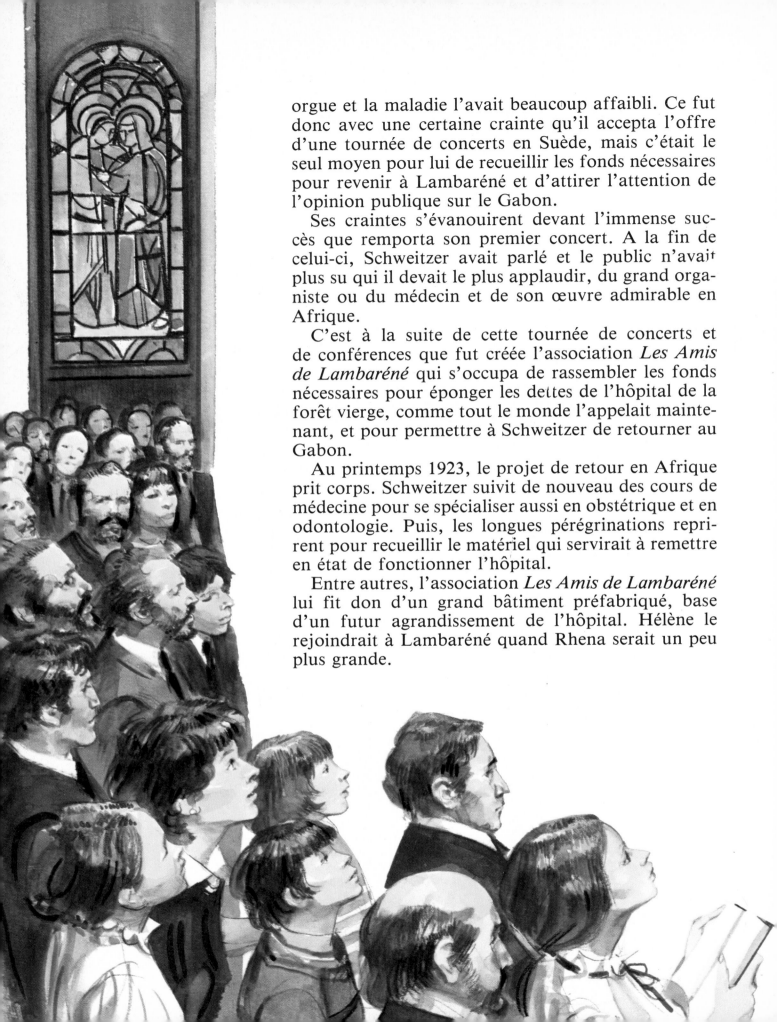

orgue et la maladie l'avait beaucoup affaibli. Ce fut donc avec une certaine crainte qu'il accepta l'offre d'une tournée de concerts en Suède, mais c'était le seul moyen pour lui de recueillir les fonds nécessaires pour revenir à Lambaréné et d'attirer l'attention de l'opinion publique sur le Gabon.

Ses craintes s'évanouirent devant l'immense succès que remporta son premier concert. A la fin de celui-ci, Schweitzer avait parlé et le public n'avait plus su qui il devait le plus applaudir, du grand organiste ou du médecin et de son œuvre admirable en Afrique.

C'est à la suite de cette tournée de concerts et de conférences que fut créée l'association *Les Amis de Lambaréné* qui s'occupa de rassembler les fonds nécessaires pour éponger les dettes de l'hôpital de la forêt vierge, comme tout le monde l'appelait maintenant, et pour permettre à Schweitzer de retourner au Gabon.

Au printemps 1923, le projet de retour en Afrique prit corps. Schweitzer suivit de nouveau des cours de médecine pour se spécialiser aussi en obstétrique et en odontologie. Puis, les longues pérégrinations reprirent pour recueillir le matériel qui servirait à remettre en état de fonctionner l'hôpital.

Entre autres, l'association *Les Amis de Lambaréné* lui fit don d'un grand bâtiment préfabriqué, base d'un futur agrandissement de l'hôpital. Hélène le rejoindrait à Lambaréné quand Rhena serait un peu plus grande.

L'« oganga blanc » est revenu

Le 21 février 1924, à Bordeaux, Schweitzer s'embarqua sur le vapeur qui devait le ramener en Afrique. Il était accompagné par un jeune étudiant en chimie, Noël Gillespie, qui s'était offert à rester quelque temps avec lui.

La veille de Pâques, les pirogues qui portaient les deux hommes abordèrent au quai de Lambaréné : des centaines de Noirs s'étaient rassemblés sur la berge pour accueillir l'*oganga blanc* qui revenait. Aussitôt descendu de la barque, Schweitzer porta son regard vers la colline où était l'hôpital. Le spectacle qui s'offrit à ses yeux le bouleversa : l'esplanade, défrichée avec tant de peine quelques années auparavant, avait été de nouveau envahie par la végétation. Les bâtiments, sans toits, avaient été engloutis par les herbes et les lianes. Schweitzer se tourna vers les missionnaires qui guettaient sa réaction.

— Nous recommencerons, dit-il simplement.

Cette nuit-là, le tam-tam scanda longtemps la grande nouvelle : l'*oganga blanc* était revenu.

Une fois de plus, il fallait retrousser ses manches et essayer de remettre en état les baraquements le plus rapidement possible. Il fallait que l'hôpital fonctionnât à nouveau à plein rythme, très vite.

Comme en 1913, il n'était pas question de faire la distinction entre les cas urgents ou non. Tous les malades qui affluaient vers la colline de Lambaréné étaient des cas urgents.

Pour en sauver au moins quelques-uns, le docteur avait besoin d'un endroit abrité où les ausculter.

Cette fois, le début de l'activité du docteur fut marqué par un deuil. Une nuit, il fut réveillé par des gémissements : un vieux Noir, que des parents avaient probablement abandonné, gisait sans forces devant la case. Schweitzer le veilla toute la nuit mais au petit matin, il s'éteignit. Alors que l'on emportait le cadavre, une fillette indigène se mit à hurler et s'enfuit vers la mission.

— Pouquoi permettez-vous qu'un homme-léopard vienne tuer les Noirs ?

Quand le docteur demanda des explications, la réponse qu'il obtint le bouleversa. Pendant son absence était née au Gabon une sorte d'association secrète de sauvages qui circulaient armés de griffes de léopard. Leurs victimes étaient égorgées. La secte s'était imposée par le mensonge et la terreur et elle avait atteint une dimension effrayante. La seule façon de vaincre ce nouveau mal était d'arracher les Noirs à l'ignorance et à la pauvreté.

L'épidémie

Mais une nouvelle épreuve, plus terrible, allait s'abattre sur l'hôpital. Une épidémie de dysenterie, née à quelques kilomètres de distance, se rapprochait rapidement et risquait de prendre des proportions gigantesques. Quand les premiers malades contagieux arrivèrent à l'hôpital, le docteur essaya d'organiser un service totalement isolé du reste de l'hôpital pour éviter la contagion. Une épidémie de dysenterie exige un respect absolu des règles d'hygiène. Le plus difficile était de convaincre les indigènes d'éviter de faire tout ce qui pouvait répandre la contagion. Il ne fallait pas toucher les malades ni les objets ayant été en contact avec eux et, surtout, il ne fallait boire que de l'eau bouillie. C'était la rivière qui était le principal vecteur de la contagion car les malades atteints de dysenterie s'y lavaient, parfois plusieurs kilomètres en amont.

Ce furent des journées très pénibles et, souvent, le docteur Schweitzer sentait son courage l'abandonner. Un jour, il dit avec une profonde amertume :

— Quel imbécile j'ai été quand j'ai décidé de venir ici pour soigner ces pauvres sauvages.

Joseph, qui était a côté de lui, l'interrompit aussitôt :

— Tu passeras peut-être pour un imbécile sur cette terre mais certainement pas au ciel !

La paroxysme de la contagion passé, il fallut faire le point. L'épidémie avait tué les hommes les plus robustes. De nombreuses familles, beaucoup d'enfants étaient abandonnés à eux-mêmes, beaucoup mouraient de faim. Malheureusement, l'hôpital n'était pas en mesure de subvenir à toutes ces bouches supplémentaires.

Schweitzer réclama de l'aide aux autorités du Gabon et il adressa sans attendre des demandes pressantes en Europe : « Tout un peuple meurt de faim parce qu'il lui manque une poignée de riz. Il faut l'aider immédiatement, sans perdre une minute. »

A cette occasion, le précieux canot à moteur, offert par la section suédoise des *Amis de Lambaréné*, chargé à ras bord de vivres, sauva des milliers de gens qui vivaient dans des endroits trop à l'écart dans la forêt vierge pour qu'ils pussent venir eux-mêmes chercher de l'aide.

Il n'y avait qu'une seule possibilité pour arrêter la contagion et pour arracher de nouvelles terres cultivables à la forêt. Il fallait construire un nouvel édifice hospitalier, dans une zone plus éloignée du fleuve et, par conséquent, moins exposée à la contagion, avec des services d'isolement qui pourraient fonctionner vraiment. En choisissant soigneusement le lieu, on pourrait trouver une zone mieux adaptée aux cultures.

Toutefois, il faudrait au moins une année avant que les premières bâtisses fussent prêtes ; ce qui demanderait une grande dépense d'énergie. Cela en valait-il la peine ? Le docteur et ses collaborateurs (d'autres médecins avaient pu le

rejoindre) se réunirent et furent d'accord pour s'atteler immédiatement à ce projet hasardeux.

Au cours des deux dernières années écoulées, plusieurs personnes avaient répondu au message de Schweitzer et l'hôpital de Lambaréné pouvait désormais compter sur un personnel permanent de trois médecins et de deux infirmières. La réunion, ce soir-là, dura très longtemps. Le docteur informa ses collaborateurs de tout ce qu'il avait appris sur l'épidémie afin qu'ils se rendissent compte de la gravité de la situation.

Tous étaient parfaitement conscients de l'énormité de l'entreprise mais ils étaient convaincus qu'il n'y avait pas d'autres moyens pour lutter contre l'épidémie. Sans attendre, chacun se mit au travail. On choisit le futur emplacement de l'hôpital et, tous les permis nécessaires obtenus, on commença rapidement la construction.

Comme cela s'était déjà produit, pour la construction du premier hôpital, Schweitzer rassembla autour de lui le plus grand nombre possible d'ouvriers. Il demanda aux parents des malades hospitalisés de payer les services reçus par quelques journées de travail ; il demanda des aides en Europe et, de fait, au bout de quelque temps, un charpentier chevronné arriva de France, ce qui facilita beaucoup l'avancement des travaux. Il fallait travailler sans relâche, déboiser une vaste partie de la forêt, faire en sorte qu'au moins une partie de l'hôpital soit prête, très vite, pour permettre d'isoler les dysentriques. Pendant tout le temps que durèrent les travaux, le docteur Schweitzer et les autres médecins se transformèrent souvent en menuisiers, afin d'accélérer la construction. En effet, les ouvriers étaient souvent découragés mais, quand le docteur était parmi eux, cela les stimulait et les incitait à travailler avec cœur.

Une année environ s'était écoulée depuis la décision prise de construire le nouvel hôpital. Le matin du 21 janvier 1927, on commença à transporter les malades dans les nouveaux bâtiments. Tout le fleuve était en fête. Tous ceux qui avaient une barque, un canot ou une pirogue l'avaient prêté pour le transfert. Quand les premiers malades arrivèrent devant le nouvel hôpital, ils furent frappés de stupeur en voyant leur nouveau logement. Tous les baraquements étaient construits sur pilotis, ce qui empêcherait les serpents d'y pénétrer et, pendant la saison des pluies, permettrait aux eaux du fleuve et des torrents en crue de s'écouler sans faire de dégâts. Les bâtisses étaient toutes orientées est-ouest, pour éviter les rayons directs du soleil. Les toits étaient faits de solides tôles ondulées qui protégeaient du soleil et de la chaleur. Le service des maladies infectieuses se trouvait dans un pavillon isolé des autres. On y transporta aussitôt les dysentériques et leur éloignement contribua beaucoup à arrêter l'épidémie.

Les cultures venaient bien, elles aussi : on avait gagné sur la forêt une zone ombragée et fraîche qui était irriguée par un système de canaux. Déjà le cuisinier de l'hôpital puisait à pleines mains dans ce potager et le menu des malades s'était enrichi de haricots, de choux... Le simple fait de disposer d'une plus grande quantité de légumes pour leur alimentation avait contribué à améliorer la situation.

L'« hôpital de la forêt vierge »

Les premiers jours dans le nouvel hôpital furent une fête continue. On n'en revenait pas de vivre dans un lieu qui offrait tant de commodités et qui, surtout, paraissait si solide.

Désormais, l'avenir de l'hôpital semblait assuré. De plus en plus souvent arrivaient d'Europe des médecins et des infirmières qui avaient décidé d'offrir deux ou trois années de leur vie aux lépreux et aux malades de Lambaréné.

Se rendant compte que, désormais, l'hôpital pouvait fonctionner, du moins un temps, sans sa présence constante, Schweitzer décida de retourner un an en Europe pour rejoindre sa femme et sa fille et se faire soigner. Sa santé était très éprouvée par le climat africain et, de nouveau, il souffrait de paludisme.

Sa santé rétablie, le jour de Noël 1930, Albert Schweitzer et sa femme Hélène repartirent pour Lambaréné.

Quand, après treize années d'absence, Hélène revit l'hôpital, elle fut saisie de joie et de stupeur en se remémorant le vieux poulailler de jadis.

L'épidémie de dysenterie avait été complètement jugulée. Le pavillon des isolés était presque vide et l'avenir s'annonçait bien. Dès lors, la vie des époux Schweitzer était là, à Lambaréné, et leur famille était les malades de l'hôpital.

La renommée de l'hôpital de Lambaréné s'était encore étendue ces dernières années et de nombreux visiteurs venaient voir l'« hôpital de la forêt vierge ». Alors que le monde se préparait à connaître une nouvelle guerre, encore plus terrible, le message de Schweitzer atteignait des hommes dans toutes les parties du monde, prêchant à tous paix, amour et solidarité.

Plus le temps passait et plus le docteur était obligé de réduire son activité à l'hôpital. Il avait vieilli. Il ne pouvait plus opérer mais, pas une seule fois, il son-

gea à retourner en Europe. Loin de Lambaréné, sa vie eût perdu tout sens. Sa plus grande consolation était de voir qu'il n'était plus indispensable.

Les médecins étaient nombreux à Lambaréné et beaucoup d'autres avaient suivi, ailleurs, son exemple, si bien que l'hôpital sur l'Ogooué n'était plus une exception. Dans toute l'Afrique naissaient des hôpitaux et des léproseries, fruits de l'expérience de Lambaréné.

L'hôpital de Schweitzer avait pris l'aspect sain et propre d'un véritable hôpital. On se serait presque cru en Europe. La salle d'opération était très bien équipée, grâce aux nombreux dons reçus d'Europe. Le pavillon d'isolement fonctionnait parfaitement, permettant ainsi de circonscrire à temps les dangers d'épidémies qui se manifestaient. Il y avait même une section de psychiatrie.

Près de l'hôpital, le docteur gardait, dans un enclos, les animaux recueillis dans la forêt. Son amour pour la vie lui avait inspiré un profond respect de toutes les formes d'existence et, par conséquent, également de la nature et des animaux. Toute créature ayant besoin d'aide trouvait refuge à Lambaréné et l'hôpital avait ouvert une section pour recueillir des antilopes, des chats, des perroquets et d'autres animaux.

On rencontrait souvent le docteur en train de se promener entre les baraquements, accompagné de ses animaux.

Le temps qui lui restait après avoir vaqué à ses diverses tâches, Schweitzer l'occupait à écrire. Au cours de son long séjour en Afrique, il avait accumulé une expérience qu'il désirait communiquer aux autres afin qu'un nombre toujours plus grand de gens puissent connaître son œuvre et fussent prêts à offrir une partie de leur vie, ou simplement de l'argent, à

ceux dont la seule faute était d'être nés dans un pays pauvre, oublié de tous.

Cependant, tout ce temps passé en Afrique n'avait pas étouffé le grand amour de Schweitzer pour la musique de Bach et pour la théologie. Les dernières années qu'Albert Schweitzer passa à Lambaréné furent consacrées à achever les ouvrages qu'il avait commencés et à cultiver ses admirables dons d'organiste.

Les habitants du Gabon avaient continuellement recours aux soins de l'hôpital qui accueillait maintenant environ 3 500 malades.

Les quatre médecins et les trois infirmières avaient créé un service médical ambulant qui parcourait la forêt vierge, allant de village en village. Ainsi, les médecins pouvaient déceler les maladies avant qu'elles ne se propagent et vacciner tous les habitants.

Si les indigènes avaient recours aux soins de l'hôpital, c'était parce qu'ils avaient confiance en Schweitzer. Dans les villages les plus reculés, on parlait de l'« hôpital du docteur Schweitzer » et celui qui tombait malade ne voulait être soigné que par l'*oganga blanc*. Pourtant, le docteur ne soignait plus que les cas exceptionnels. Il continuait à suivre les activités de l'hôpital et, souvent, les médecins lui demandaient un conseil précieux. Mais, il ne donnait plus de consultations.

Cependant, un jour, on amena un enfant, très malade. Les médecins ne comprenaient pas de quoi il souffrait et déclarèrent qu'il était perdu. Les parents de l'enfant supplièrent pour que Schweitzer le voit lui aussi. Celui-ci l'ausculta longuement et, grâce à sa longue expérience, il découvrit la maladie de l'enfant. Une fois de plus, il avait sauvé une vie.

Deux tombes couvertes de fleurs

En 1952, Schweitzer reçut le prix Nobel de la paix. Sept années seulement s'étaient écoulées depuis la fin de la Seconde Guerre mondiale et Schweitzer était un exemple concret de la façon dont les hommes pouvaient s'aider mutuellement sans s'arrêter à des différences de race, de nationalité ou de religion. De ce moment, on ne compte plus les décorations, les prix et les diplômes *ad honorem* qui lui furent attribués. Lambaréné et son médecin étaient devenus des gloires mondiales.

Albert Einstein, qui fit la connaissance de Schweitzer à l'occasion d'un voyage de ce dernier aux États-Unis, n'hésita pas à le qualifier de « plus grand homme vivant ».

Schweitzer mourut le 4 septembre 1965, à quatre-vingt-dix ans, entouré des malades, des enfants et des animaux qu'il avait soignés pendant toute sa vie. Il fut enterré près de sa femme, dans le petit cimetière de Lambaréné.

Si vous allez à Lambaréné, vous reconnaîtrez leurs tombes à la profusion de fleurs qui les recouvrent et vous verrez une longue procession d'indigènes qui viennent rendre hommage à celui qui, le premier, leur avait apporté l'espoir et l'amour.

LE GABON

L'HISTOIRE - A l'époque qui précéda les conquêtes coloniales, le territoire qui constitue aujourd'hui la République du Gabon, était habité par des tribus bantoues. Au XVᵉ siècle débarquèrent sur les côtes du Gabon des navigateurs portugais auxquels succédèrent très vite des Hollandais, des Français et des Anglais qui voulaient créer une réserve pour la traite des Noirs. En 1839, le capitaine de vaisseau français Bouet Willaumez créa un établissement pour réprimer la traite des Noirs. En 1843, Fort d'Aumale est le premier établissement français officiel fondé. Plus tard, Savorgnan de Brazza explora le Gabon qui devint une colonie de l'Afrique Équatoriale française.

En 1849, L'*Élisia*, un navire négrier, avait été capturé et un nombre élevé d'esclaves libérés fondèrent, dans un site très marécageux, la ville de Libreville qui deviendra la capitale.

En 1958, le Gabon devint une république au sein de la Communauté française avant d'obtenir son indépendance, en 1960. Les principales villes du Gabon sont : Libreville, qui est la capitale et compte 187 000 hab., Port-Gentil (60 000 hab.), Lambaréné (24 000 hab.), Mouila (6 000 hab.), Franceville (17 000 hab.), Koula-Moutou (12 000 hab.), Oyem (17 000 hab.).

FRONTIÈRES : La république du Gabon possède 800 km de côtes sur l'océan Atlantique. Au nord, elle a une frontière commune avec la Guinée Équatoriale et avec le Cameroun, à l'est et au sud avec la République populaire du Congo.

RELIGION : Plus de la moitié de la population s'est convertie au christianisme, ce qui fait que le Gabon est le pays le plus christianisé des États de l'ancienne Afrique Équatoriale française. Le reste de la population, à part des minorités islamiques, est animiste.

La capitale du Gabon se trouve au nord de l'estuaire du fleuve Gabon. Elle fut appelée Libreville.

Le village-hôpital du docteur Schweitzer, situé sur les rives du fleuve Ogooué.

SCHWEITZER ET LE COLONIALISME

Quand Schweitzer revint en Europe, en 1917, il écrivit un livre dans lequel il racontait son expérience africaine. *A l'orée de la forêt vierge* connut un immense succès. Ce tableau de la vie en Afrique lui fournit l'occasion d'exprimer ses opinions sur les graves problèmes de la colonisation. Quelques passages d'un autre livre nous aideront à mieux comprendre sa position.

« Avons-nous le droit, nous autres Blancs, d'imposer notre domination aux peuples primitifs ou semi-primitifs ? Voici ce que je réponds à leur sujet — et à leur sujet seulement — en me fondant sur mon expérience d'avant et d'après la Première Guerre mondiale.

Non, nous n'avons pas ce droit, si nous ne voulons que les dominer et retirer des avantages matériels de leur pays. Oui, si nous désirons vraiment les éduquer et les amener au bien-être. (...)

Que parmi ceux qui ont pris possession des territoires coloniaux, certains aient commis des injustices, des violences, des cruautés faisant peser sur nous une lourde responsabilité, cela n'est que trop vrai. Encore aujourd'hui, les torts que nous portons aux indigènes ne doivent être ni passés sous silence, ni déguisés.

La seule voie à suivre, c'est d'exercer la puissance que nous possédons en fait pour le bien des indigènes et de la justifier ainsi moralement. La colonisation peut alléguer des actes ayant une telle valeur morale. Elle a mis fin au trafic des esclaves, elle a fait cesser les guerres qu'auparavant se livraient entre eux les peuples primitifs, et a ainsi assuré une paix durable à de vastes parties du monde.

Le tragique, c'est que les intérêts de la colonisation et ceux de la civilisation ne vont pas toujours de pair. Ils sont, au contraire, bien souvent en opposition. Le mieux serait que les peuples primitifs vivent autant que possible à l'écart du commerce mondial et, sous une administration judicieuse, passent lentement de l'état de nomades ou de semi-nomades à celui de cultivateurs et artisans sédentaires. »

d'après : Albert Schweitzer, *Ma vie et ma pensée* ; Albin Michel, Paris 1960.

Village sur la route qui mène à Lambaréné.

Le docteur Albert Schweitzer.

SCHWEITZER ET LA PAIX

Les 28, 29 et 30 avril 1958, le docteur Schweitzer, prix Nobel de la Paix en 1952, lança à la radio d'Oslo trois appels contre la menace atomique qui, déjà, s'annonçait comme le danger le plus grand pour le salut de l'humanité. Nous donnons ci-dessous quelques extraits de l'appel du 29 avril. Comme on peut le noter, son message est encore valable à condition que nous voulions bien le recevoir.

« Aujourd'hui, nous nous trouvons face à l'effroyable perspective qu'une guerre atomique éclate entre l'Union soviétique et les États-Unis. Elle ne peut être évitée que si les puissances atomiques se décident, d'un commun accord, à renoncer aux armes nucléaires. (…) Et il faut s'attendre à ce que la situation empire également pour un autre motif. Désormais, l'Amérique fournit des armes atomiques à d'autres pays aussi, comptant sur le fait qu'ils n'en feront pas un usage inconsidéré ou arbitraire. Les deux autres puissances atomiques peuvent en faire autant. Mais qui garantit que, parmi ces peuples ainsi favorisés, il n'y en aura pas qui, une fois en possession de telles armes, n'en feront pas l'usage qui leur plaira le plus, sans se soucier des conséquences ? Qui pourra les en empêcher ? Qui pourra les persuader de ne pas utiliser leurs armes atomiques, quand bien même d'autres peuples deviendraient raisonnables et décideraient d'y renoncer d'un commun accord ? Une voix d'eau s'est ouverte dans la digue. A présent, il faut faire attention à ce que celle-ci ne s'écroule pas. (…) De quelque point de vue que l'on considère la chose, le danger d'une guerre est si grand qu'il est absolument nécessaire de renoncer aux armes nucléaires… La théorie que la paix puisse être maintenue seulement en inspirant de la crainte à l'ennemi par le réarmement atomique ne peut plus être soutenue, aujourd'hui que le danger de guerre est arrivé à ce point. »

d'après : Albert Schweitzer, *Paix ou guerre atomique* ; Albin Michel, Paris 1958.

Explosion d'une bombe atomique. Photographie du nuage caractéristique en champignon. Quand il se disperse, ses cendres retombent sur un territoire plus vaste encore que celui touché par l'explosion, provoquant de nouveaux dégâts.

LA MUSIQUE DE BACH

Voici un extrait de *Ma vie et ma pensée* d'Albert Schweitzer sur Bach.

« ... Au Bach de la musique pure, j'opposais dans mon livre le Bach qui est aussi peintre et poète en musique, l'artiste qui cherche à rendre de la manière la plus claire et la plus vivante dans le langage des sons la valeur affective et descriptive des paroles du texte. Sa constante préoccupation est de traduire les images en lignes sonores. (...) Que le texte parle de brumes qui se lèvent ou descendent, de tempêtes rugissantes, de fleuves tumultueux, de vagues sur la mer, de feuilles tombant de l'arbre, de glas qui sonne pour les morts, de foi confiante qui s'avance d'un pas ferme ou de foi timide qui vacille dans l'incertitude, d'orgueilleux qui seront abaissés, de Satan qui se dresse, ou d'anges qui se bercent sur les nuées : tout est reflété dans son œuvre, tout cela, on le voit et l'entend dans sa musique. Bach a un langage de sons qui lui est propre. On retrouve chez lui des motifs expressifs qui reviennent souvent : celui de la sereine félicité, de la joie de vivre, de la douleur passionnée, de la douleur sublime.

Le désir d'exprimer des idées poétiques ou picturales est de l'essence même de la musique. Celle-ci s'adresse à l'imagination créatrice de l'auditeur et cherche à éveiller en lui les sentiments et les visions qui l'ont fait naître. Mais elle n'y parvient que lorsque celui qui s'exprime dans le langage des sons, possède le pouvoir mystérieux de rendre les pensées avec une clarté et une précision supérieures. C'est là que Bach est le maître parmi les maîtres.

Sa musique est à la fois poétique et descriptive, parce que les thèmes sont nés de visions poétiques et picturales. Sur ces thèmes se développe ensuite le dessin musical dans une architecture parfaite de lignes sonores. Ce qui, dans son essence même, est une musique poétique et descriptive s'élève comme une voûte gothique faite de sons. L'élément le plus sublime dans cet art frémissant de vie, merveilleusement plastique, unique dans la perfection de la forme, c'est l'esprit qui en émane. »

Le docteur Albert Schweitzer à l'orgue.

Mycènes — Enceinte des murs avec, au premier plan, la porte des Lionnes.

TABLE CHRONOLOGIQUE

Vie de Schweitzer	Événements historiques
1875 Albert Schweitzer, fils d'un pasteur protestant, naît à Kaysersberg, en Alsace. La famille Schweitzer s'installe à Gunsbach où Albert passe son enfance.	1874 Schliemann effectue des fouilles archéologiques à Mycènes. Bell et Gray commencent à produire industriellement des téléphones.
	1878 Thomas Edison invente le phonographe. 1879 Edison réalise la première ampoule électrique.
	1881 Inauguration du tunnel du Saint-Gothard. Siemens construit le premier tramway électrique. Pablo Picasso naît à Malaga. On le considère comme le plus grand peintre du XXᵉ siècle.
	1882 Triple-Alliance, ou Triplice, entre l'Allemagne, l'Autriche et l'Italie.
	1885 Benz et Daimler construisent une automobile à moteur à explosion.
	1889 Construction de la tour Eiffel pour l'Exposition Universelle de Paris.
1893 Il étudie l'orgue à Paris et s'inscrit à la faculté de théologie et de philosophie de Strabourg.	1893 Diesel met au point le moteur qui porte son nom.

Phonographe original inventé par Thomas Edison.

Pablo Picasso — *Famille de l'acrobate avec singe.*

Paris, tour Eiffel — Elle fut construite pour l'Exposition Universelle.

Vie de Schweitzer	Événements historiques
	1894 Le capitaine Dreyfus est condamné pour haute trahison. En 1906, le jugement sera cassé et Dreyfus réhabilité.
	1894/ Le Japon remporte une 1895 victoire décisive sur la Chine et s'empare de Formose.
	1897 Marconi invente le télégraphe sans fil.
1899 Schweitzer devient suffragant à l'église Saint-Nicolas de Strasbourg où il prêche.	1899 La première automobile Fiat est produite en Italie.
1904 Organiste et théologien connu, il décide d'étudier la médecine pour aller soigner les indigènes du Gabon.	1903 Les frères Wright effectuent le premier vol piloté à moteur.
1905/ Il étudie la médecine à 1911 la faculté de Strasbourg. Il se rend à Paris pour se spécialiser en médecine tropicale.	1905 La première révolution russe est réprimée grâce à des concessions et des mesures répressives. Einstein énonce la théorie de la relativité.
	1907 Triple entente entre l'Autriche, l'Allemagne et l'Italie.
1911 Il épouse Hélène Bresslau qui le suivra en Afrique comme infirmière.	1911 Le groupe du *Blaue Reiter* (le Cavalier bleu) se fait connaître par une exposition. Kandinsky illustre la couverture de son almanach.

Dégradation du capitaine Dreyfus — Illustration du *Petit journal*.

Premier modèle d'automobile Fiat conçu par l'ingénieur A. Faccioli.

« Machine volante » des frères Wright — Premier vol à moteur piloté.

Wassily Kandinsky — Esquisse pour l'almanach du *Cavalier bleu*.

Assassinat de l'archiduc François-Ferdinand — La Domenica del Corriere.

des Pommes de terre

Pour les Soldats
Pour la France

Affiche du ministère de l'Agriculture pendant la Première Guerre mondiale.

Le Kremlin, à Moscou — Résidence des tsars depuis le XVIe siècle ; siège du gouvernement soviétique depuis 1918.

Emiliano Zapata, le chef des paysans du Mexique, artisan de la réforme agraire.

Vie de Schweitzer	Événements historiques
1913 Les Schweitzer partent pour le Gabon et commencent leurs activités dans des conditions épouvantables.	
1914 La Grande guerre oblige les Schweitzer à interrompre leur apostolat. Les Schweitzer, renvoyés en France comme prisonniers de guerre, sont internés dans un camp.	1914 Assassinat, à Sarajevo, de l'archiduc François-Ferdinand. Ce fut la cause de la Première Guerre mondiale.
	1917 Révolution d'octobre en Russie. Le Conseil des Commissaires du peuple exerce le pouvoir au nom du prolétariat.
1918 Les Schweitzer sont libérés à la suite d'un échange de prisonniers.	1918 Fin de la Première Guerre mondiale. Insurrection à Berlin, le Kaiser doit abdiquer.
1919 Hélène Schweitzer donne naissance à une fille.	1919 Benito Mussolini fonde les Faisceaux de combat. C'est le début du fascisme en Italie. Zapata, chef révolutionnaire du Mexique et fondateur de la réforme agraire, est assassiné.
1924 Après avoir recueilli des fonds et avec l'aide de l'association *Les amis de Lambaréné,* Schweitzer retourne à Lambaréné avec son collaborateur. Il trouve l'hôpital en ruine.	

Vie de Schweitzer		Événements historiques	
1925	Un nouvel hôpital est construit avec l'aide des indigènes et des Européens.	1925	Dictature de Mussolini.
		1926	Aristide Briand reçoit le prix Nobel de la Paix.
1927	Début de l'activité du nouvel hôpital.	1928	Le premier film parlant, *Le chanteur de jazz,* est produit aux États-Unis.
1929	Schweitzer rejoint sa femme en France.	1929	Crise économique aux États-Unis et écroulement de la bourse à Wall Street.
1930	Les Schweitzer retournent à Lambaréné.	1934	Après le vote plébiscite en faveur de la liste unique, Hitler assume les charges de président et de chancelier du Reich.
		1936/ 1939	En Union Soviétique, les opposants à la politique de Staline sont victimes de grandes purges.
		1939	Début de la Seconde Guerre mondiale à laquelle participeront les principales puissances mondiales.
1952	Schweitzer reçoit le prix Nobel de la Paix.	1945	Les États-Unis utilisent la bombe atomique contre le Japon qui capitule. Fin de la guerre.
1965	Il meurt à Lambaréné, le 4 septembre, âgé de 90 ans.		

Benito Mussolini — Photographie du dictateur italien.

La bourse de New York après l'effondrement — Les actions, sans valeur, jonchent le sol.

Berlin — La porte de Brandebourg pavoisée de drapeaux à croix gammée.

Explosion d'une bombe atomique — Le champignon caractéristique.

Table des matières

Illustrations Gianni Renna
Traduction Gérard Hug

© 1982 Gruppo Editoriale Fabbri S.p.A. Milano
© 1983 Biblio-Club de France, Hachette et Cie

Cet ouvrage a été composé par S.C.P. Bordeaux
Il est imprimé et relié en Italie par G.E. Fabbri S.p.A., Milan
Loi n° 49-956 du 16 juillet 1949
sur les publications destinées à la jeunesse.
Dépôt légal : octobre 1983
N° d'éditeur : 5040
I.S.B.N. n° 2.245.01885.0